Redactie:	Arno van Dijk
Omslagontwerp:	Erik de Bruin, www.varwigdesign.com
	Hengelo
Lay-out:	Christine Bruggink, www.varwigdesign.com
Druk:	Grafistar, Lichtenvoorde

ISBN 978-90-8660-140-0

© 2012 Uitgeverij Ellessy
Postbus 30227
6803 AE Arnhem
www.ellessy.nl
http://www.suzannepeters.nl

Nr 47

Games

Suzanne Peters

ELLESSY
JEUGD

Mario.

Inhoudsopgave

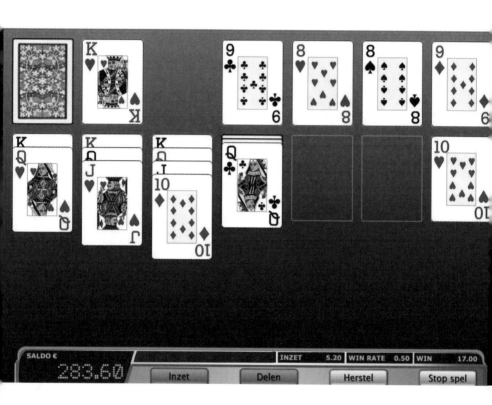

Het oude en bekende spel Patience.

Inleiding

Games worden alsmaar populairder. Vroeger waren het nog Hollywood en de muziekindustrie die het meeste geld verdienden, tegenwoordig is dat de game-industrie.
Computerspelletjes worden over de hele wereld gespeeld. Op internet worden tips en trucs om spellen te spelen uitgewisseld. En steeds meer winkels verkopen games, denk aan warenhuizen, muziekwinkels en speelgoedzaken.
Veel kinderen hebben een *console* en de kinderen zijn vaak beter dan hun ouders met het spelen van spelletjes. Maar niet alleen met kinderen wordt rekening gehouden door de makers van games. Ook voor volwassenen verschijnen er steeds meer computerspelletjes. Denk bijvoorbeeld maar eens aan de brain-training games, waarbij je met kleine oefeningen een jonger brein krijgt. Of puzzelspelletjes. En natuurlijk moeten we het bekende Patience niet vergeten: het kaartspel dat op de meeste computers standaard wordt meegeleverd.

Tegenwoordig kun je zelfs meedoen aan verschillende toernooien en daar aardig wat geld mee verdienen. Gamen is niet alleen een hobby: je kunt er je beroep van maken als je goed genoeg bent.

In dit boekje kun je alles over computergames vinden. Hoe is het ga-

Gamen kan een uit de hand gelopen hobby worden.

Gametoernooi.

men ontstaan? Hoe worden games gemaakt? Hoe zit het met de toernooien? Ook kun je informatie vinden over praktischere dingen, zoals een gameverslaving.

Soms staan er citaten in het boek van gamers. Hier staat alleen de voornaam bij vermeld, om de privacy van deze mensen te beschermen.

Wanneer een woord *cursief* is geschreven, kun je achter in dit boekje de betekenis ervan vinden.

De auteur.

1. Het ontstaan van games

De allereerste game was het spel Tennis for two (In het Nederlands: Tennis voor twee). Het spel werd in 1958 uitgevonden door de Amerikaan William A. Higinbotham. Hij werkte in het laboratorium van de kerncentrale Brookhaven National Laboratory in New York. Op *open dagen* liet het laboratorium dan het spel zien.
Wetenschappers zijn het er niet helemaal over eens of Tennis for two er echt voor heeft gezorgd dat videogames zouden ontstaan. Niemand kan er helaas het echte antwoord op geven, dus het blijft gissen.

Na Tennis for two verscheen Spacewar! in 1962. Het spel was alleen te spelen door mensen die op een universiteit les kregen. Het was een spel waarin je met een ruimteschip de tegenstander moest neerschieten. Ook speelde zwaartekracht een grote rol in het spel. De meeste mensen hadden dus nog geen flauw idee dat er computerspelletjes waren die gespeeld konden worden. Pas veel later, in 1973, werd het spel opnieuw uitgebracht en werd het een succes.

In 1972 kwam de eerste echte doorbraak in de games: Pong. Het spel wordt nog steeds regelmatig gespeeld door allerlei soorten gamers. Op internet zijn er veel varianten van te vinden die gratis te spelen zijn. Pong bestaat uit twee balkjes die een blokje naar elkaar overspelen. Echt mooi zag het er nog niet uit, maar toch was Pong razend populair. In de *amusementshallen* konden mensen voor een kwartje een potje Pong spelen op een *arcademachine*.

Arcademachines zijn speelautomaten die je voornamelijk in amusementenhallen kunt vinden. Op een *arcademachine* kan meestal slechts één spel worden gespeeld. Bijvoorbeeld Pong, Frogger, Flipper of een racegame.

De Atari 2600 met Pac-Man uit 1975.

De allereerste *console* was de Magnavox Odessey. Deze spelcomputer was geen groot succes. De kwaliteit was heel slecht en er werd niet eens een score bijgehouden. Er waren maar weinig mensen die dit apparaat in huis hadden. De tweede spelcomputer was een stuk populairder: de Atari 2600. Atari liep echter veel geld mis, omdat andere bedrijven kopieën maakten. De Atari 2600 werd vanaf 1975 gemaakt.

In 1985 kwam de eerste *console* van Nintendo: de NES. De gamers maakten kennis met Mario, het kenmerk van Nintendo. De kwaliteit van de spellen was flink vooruitgegaan.

De eerste *handheld* verschenen in 1989. De Gameboy (ook van Nintendo) kwam ongeveer tegelijkertijd uit met de Atari Lynx. De Gameboy was in zwart-wit, maar de Atari Lynx had al een kleurenschermpje.

In datzelfde jaar besloot Sega de strijd aan te gaan met Nintendo. Ook Sega kwam met een *console* voor op de televisie. Ze noemden hun spelcomputer Sega Megadrive. Het speelfiguur Sonic werd een echte concurrent van Mario. Sega kwam met wat spelletjes die voor de oudere jeugd interessant waren, bijvoorbeeld het vechtspel Mortal Kombat. De mensen die games speelden, waren vaak óf fan van Nintendo óf van Sega.

Na de NES en de Sega Megadrive kwamen de *consoles* in een rap tempo op de markt. De Super Nintendo, de Xbox, de Nintendo DS, de Playstation en de Wii. De simpele tekeningetjes van Pong zijn ondertussen veranderd in *realistische grafische* beelden met mooie muziek eronder. Ook hoef je tegenwoordig niet eens meer op de bank te zitten, maar kun je ook actief gamen, zoals met de Wii en de Xbox Kinect. Je hebt dan een afstandsbediening die op beweging reageert of je kunt zelfs je eigen lichaam als *controller* gebruiken.

In de toekomst zal er ongetwijfeld nog veel meer gebeuren op het gebied van gamen. Misschien kunnen we onszelf in de toekomst in een *virtuele wereld* teleporteren, of wordt de woonkamer wel volledig een game. De ontwikkelingen staan in ieder geval niet stil en het is altijd maar de vraag wat de volgende stap zal zijn.

Als je precies wilt lezen wanneer alle bekende *consoles* verschenen, dan kun je een handige lijst achter in dit boekje vinden.

2. Bekende *consoles*

Er zijn ontzettend veel *consoles* en voor een overzicht van alle bekende *consoles*, kun je achter in dit boekje kijken. Enkele bekende *consoles* worden in dit hoofdstuk uitgelicht, om een idee te geven van de *console* en het soort games dat zijn verschenen.

Atari 2600

De Atari 2600 was de eerste *console* die echt succesvol was bij het publiek. De *console* werd in 1977 gelanceerd en heette eerst Atari VCS. Daarna kreeg het de naam zoals we het apparaat tegenwoordig kennen: de Atari 2600. In 1977 verschenen er 9 spellen voor de Atari. Dit waren:

- Air Sea Battle
- Basic Math
- Blackjack
- Combat
- Indy500
- Street Racer
- Surround
- Video Olympics

De Atari deed het meteen al erg goed in de markt en in 1978 kwamen er meer games bij, waaronder Breakout en Space War. Ook deze spellen verkochten zeer goed en Atari had hierdoor meer geld om nog meer games te ontwikkelen. In 1980 verscheen er een nieuwe populaire game bij Atari: Space Invaders. Dit was trouwens het allereerste spel waarin vijanden doodgeschoten moesten worden. Het spel kwam uit Japan en is door Atari ingekocht. Het werd een

De ColeVision werd een concurrent van Atari.

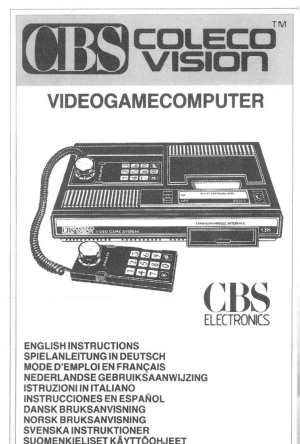

regelrechte hit en veel mensen kochten de Atari 2600 alleen voor Space Invaders.

De Atari 2600 kende helaas niet alleen successen. Vier werknemers van Atari waren het niet eens met de gang van zaken. Ze besloten zelf games te maken voor de Atari, onder de naam Activision. Dit werd een grote concurrent voor Atari. Atari wilde niet dat Activision spellen verkocht, maar kreeg het niet voor elkaar de verkoop te stoppen. In 1982 kwam ook ColeVision. Een *console* die *grafisch* gezien veel beter was dan de Atari. Daarom besloot Atari om de strijd aan te gaan. In 1982 verscheen de opvolger van de Atari 2600: de Atari 5200.

Hoewel er verschillende opvolgers van de Atari 2600 zijn geweest, is de Atari 2600 zelf erg lang in de winkels verkrijgbaar geweest. Pas in 1990 werd de Atari 2600 uit de winkelschappen gehaald. Hiermee is het de *console* die het langst in de winkels heeft gelegen.

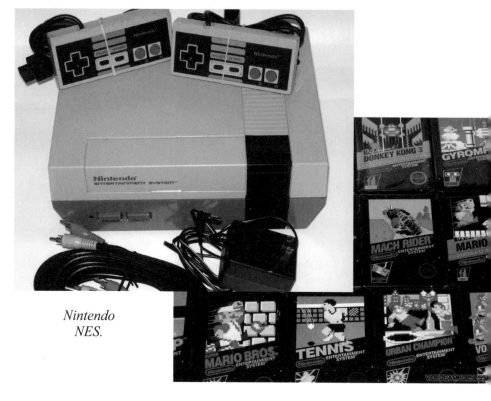

Nintendo
NES.

NES

De NES is de eerste *console* van Nintendo. NES staat voor Nintendo Entertainment System. De *console* kwam in 1985 uit, precies op het moment waarop het leek dat de gameswereld leek in te storten. Nintendo is een bedrijf uit Japan en de Amerikaanse en Europese spellenwereld zagen de NES helemaal niet aankomen. Het bedrijf Nintendo bestond al heel lang, sinds 1887. Nintendo bracht eerst een Japans kaartspel uit en heeft vervolgens nog ander speelgoed gemaakt. Toen het bedrijf erachter kwam dat de computergames het zo goed deden, besloten ze zich op deze markt te richten. Nintendo had al een kleine hand*console* in 1980 uitgebracht: Game & Watch. Hier zagen we al de bekende figuren als Mario en Donkey Kong.

Deze figuren verschenen ook in de NES en zijn tegenwoordig de bekendste figuurtjes uit games. De NES was vooruitstrevend vergeleken met de game*consoles* van dat moment en de game-industrie was weer helemaal in volle gang. Mensen kochten massaal de NES.

Er zijn veel bekende spellen verschenen voor de NES en Nintendo bewees vernieuwend te zijn. Zo kon je met een geweer op eenden schieten in het bekende Duck Hunt en ook Mario Bros bleek een regelrechte hit te zijn. Veel mensen noemen dit spel wanneer hen wordt gevraagd wat de beste game aller tijden is.

Met de NES zette Nintendo het land Japan op de kaart als aanbieder voor goede games. En na de NES zijn er nog veel opvolgers geweest.

Sega Megadrive

In 1988 kwam er een nieuwe aanbieder voor *consoles* op de markt: Sega. Sega is, net als Nintendo, een Japans bedrijf dat sinds 1940 bestaat. Sega had al de nodige ervaring in games voordat de Sega Megadrive verscheen. Zo heeft het bedrijf geholpen met het maken van spelletjes zoals Frogger. De Megadrive sloeg in Japan direct aan, omdat het *grafisch* gezien veel beter was dan de NES. In Amerika (waar de Megadrive trouwens Genesis heette) en Europa sloeg de Megadrive veel minder aan en bleef Nintendo de koploper.

Toen de Super Nintendo in 1994 verscheen, kreeg Sega het zwaar. Want de Super Nintendo verkocht veel beter dan de Sega *console*. Om de concurrentie aan te kunnen gaan, koos Sega ervoor ook een *mascotte* te hebben. Sonic

Sega Megadrive.

the Hedgehog, een vrolijke egel die allerlei avonturen beleeft in zijn games. Deze *mascotte* bleek een groot succes en mede dankzij deze *mascotte* ontstonden er twee kampen: de liefhebbers van Nintendo en de liefhebbers van Sega. Er was nog niet eerder zo'n heftige strijd geweest in de gameswereld en Sega bewees hiermee een goede concurrent van Nintendo te zijn.

Gameboy

De Gameboy was de eerste *handheld console* waar je meerdere spelletjes op kon spelen en was een product van Nintendo. Er waren wel eerder *handhelds* verschenen, maar deze hadden geen mogelijkheid om verschillende spellen te spelen. De Gameboy verscheen in 1989 in Amerika en in 1990 in Nederland. Het was meteen een groot succes en de bekende Nintendo-sterren zoals Mario kregen ook op de Gameboy een grote rol. Het scherm van de Gameboy was zwart-wit.

Eén van de bekendste games op de Gameboy is waarschijnlijk

Twee spelletjes van Gameboy.

Tetris. Het was een ontzettend grote hit en veel mensen speelden het spel tot diep in de nacht. In dit spel is het de bedoeling vallende blokjes op een rij te puzzelen. De blokjes vallen per *level* steeds sneller naar beneden. Ook de spellen van Zelda deden het meteen ontzettend goed bij het gamepubliek.

De Gameboy kreeg in 1998 een opvolger: de Gameboy Color. Deze trok veel aandacht bij het publiek, omdat de spellen in kleur te spelen waren. Een voordeel was ook nog dat de games van de Gameboy ook op de Gameboy Color te spelen waren.

A boy is playing Gameboy.

Xbox

In 2001 verscheen in Amerika de Xbox, een nieuwe concurrent voor Nintendo. De Xbox is in Europa in 2002 uitgekomen en ontwikkeld door Microsoft. Het was de eerste *console* van Microsoft, een bedrijf dat voor die tijd vooral bekend stond om de *software*programma's van pc's (denk aan Windows en Microsoft Office). De Xbox was een veelzijdig apparaat en bood veel meer dan de meeste *consoles*. Zo kon je ook dvd's kijken met de Xbox en muziek opslaan of afspelen. Ook beschikte de Xbox over de Xbox Live. Je kon dan online tegen andere mensen spelen. Je moest wel elk jaar betalen om gebruik te kunnen maken van Xbox Live.

Xbox.

Veel spellen van de Xbox waren ontzettend geliefd bij gamers. De volgende titels zijn heel vaak verkocht:

- Dead or Alive III
- Fable
- GTA III
- Halo
- Top Spin

De Xbox was vooral geliefd bij volwassen gamers en in het algemeen minder geschikt voor kinderen. De games waren voornamelijk *realistischer* dan de games bij andere *consoles* en dit bleek een gat in de markt te zijn.

In 2005 verscheen er een opvolger van de Xbox, de Xbox 360. De kwaliteiten van de Xbox 360 waren aanzienlijk beter dan die van de Xbox. De *graphics* waren mooier en er was meer mogelijk in de games. Ook verscheen in 2010 de Kinect, een apparaat dat werkt als een camera en die je bewegingen registreert. Hierdoor heb je geen *controller* meer nodig.

Playstation

De eerste variant van de Playstation werd in 1995 gemaakt. Playstation is ontwikkeld door Sony. De Playstation zou eigenlijk een samenwerking worden tussen Nintendo en Sony, maar Nintendo heeft zich halverwege teruggetrokken. Ondanks deze mislukte samenwerking, was de Playstation wel populair. De *console* werd erg vaak verkocht en kreeg al snel een hoop liefhebbers. Wel was de Playstation al heel snel het slachtoffer van illegaal *downloaden*. Het was de eerste *console* die mensen ombouwden om er illegale spellen op te kunnen spelen.

In 2000 kwam de Playstation 2 op de markt. De *graphics* hiervan waren veel beter, maar ook kwam er de mogelijkheid om dvd's en muziekcd's af te spelen. Hierdoor was de Playstation niet alleen geschikt voor games, maar ook voor allerlei andere media. Van de Playstation 2 kwam in 2004 een andere variant, namelijk de slimline versie. Deze was erg dun. Het apparaat was slechts 2,5 centimeter dik.

De Playstation 3 verscheen in 2006. Deze *console* deed het erg goed bij het publiek en stond in 2008 op de derde plaats van de best verkochte *consoles* in die periode. Van de Playstation 3 zijn ver-

Playstation 2.

19

schillende versies te verkrijgen. Zo heb je de *console* met een harde schijf van 80, 160, 250 en 320 gigabyte. De mogelijkheden bij de Playstation 3 waren ook veel uitgebreider dan bij de Playstation 2 en de *graphics* zagen er een stuk fraaier uit.

Nintendo DS

De Nintendo DS kan worden gezien als opvolger van de Gameboy en de Gameboy Advance. De Nintendo DS was een *handheld* en verscheen in 2004. De besturing was uniek voor een *handheld*. In plaats van één scherm waren er twee schermen en het onderste hiervan werkte als een *touchscreen*. Ook kon de Nintendo DS reageren op geluid. De mogelijkheden

hiermee waren eindeloos. Denk bijvoorbeeld aan games waarin je bijvoorbeeld moest tekenen of waarbij je bepaalde bewegingen moest maken. Oude spellen, zoals de spellen van de Gameboy Advance konden ook nog steeds gespeeld worden op de Nintendo DS.

Het vervolg van de Nintendo DS werd de Nintendo DS Lite. Dit apparaat verscheen in 2006. De Nintendo DS Lite was een stuk compacter en lichter. Ook was de oplaadtijd van de batterij verkort met een uur. Net als bij de Nintendo DS konden er bij de Nintendo DS Lite spellen van de Gameboy Advance worden gespeeld.

In 2009 kwam er opnieuw een opvolger. Ditmaal de Nintendo DSi. Vernieuwend aan de DSi was dat er meer opties waren, zoals een camera. De camera kon worden gebruikt tijdens het gamen en maakte het spelen nog boeiender. De mogelijkheid om games van Gameboy Advance te kunnen spelen is verwijderd bij de DSi. De Nintendo DSi kreeg al snel opnieuw een opvolger: de Nintendo DSi XL, met grotere schermen voor een optimaal speelgenot. Deze *console* verscheen in 2010.

In 2011 ontwikkelde Nintendo een nieuwe DS. Deze keer kreeg het publiek te maken met de Nintendo 3DS. Met de Nintendo 3DS is het mogelijk om spellen in 3D te kunnen spelen, zonder 3D-bril. De Nintendo 3DS ondersteunt de spellen van de Nintendo DS, maar de mogelijkheid om Gameboy Advance-games te spelen is – net als bij de DSi – weggelaten. De 3DS beschikt tevens over een berichtenservice. Mensen kunnen hiermee onderling berichten naar elkaar versturen. Ook kunnen 3D-films worden afgespeeld. Er wordt hiermee samengewerkt met verschillende filmmakers om de *content* aan te bieden in 3D-formaat. Tevens is het mogelijk je eigen Mii te maken op de 3DS. Dit zijn poppetjes die je helemaal kunt aanpassen naar hoe jij eruit ziet.

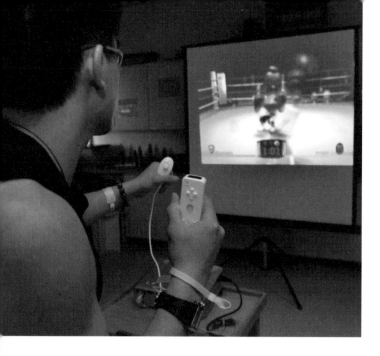

Zelf in de ruimte bewegen en je game spelen.

Nintendo Wii

De Nintendo Wii werd uitgebracht in 2006 en had heel veel functies die nog nooit eerder waren vertoond. Zo werkt de Wii niet met een *controller*, maar met een afstandsbediening die op beweging reageert. Dit betekent dat je actief kunt gamen. Door de bewegingen van bijvoorbeeld bowlen na te doen, kun je werkelijk de kegels omgooien op een bowlingbaan. De bewegingen die je maakt worden naar je scherm gestuurd en precies op het moment dat jij beweegt, zie je de bewegingen ook op de televisie. De Wii is vooral gericht op families en groepen. Zo heeft de Wii veel Party games op de mark gebracht, die je met groepen kunt spelen. Denk aan bordspellen of minigames die makkelijk te spelen zijn. Ook was de Wii de eerste *console* die met erg veel games kwam waarmee je kunt afvallen. Ideaal voor mensen die graag gezonder leven, maar niet goed weten waar ze moeten beginnen, of niet naar een *fitness*school kunnen of durven.

Het Balance Board.

In 2007 kwam de Wii met de Wii Fit en het Balance Board. Het Balance Board is een soort weegschaal, die niet alleen je gewicht weegt, maar ook op beweging reageert. Het Balance Board weet dus precies hoe je beweegt en wat je houding is. Bij de game Wii Fit kun je sporten doen, zoals steps, spieroefeningen en yogaoefeningen. Later kwamen er meer games die ook op het Balance Board werken, waaronder skategames en talloze andere *fitness*games.

3. Soorten computergames

Er zijn heel veel verschillende soorten spellen. Dit worden ook wel *genres* genoemd. Door het *genre* kun je zien welke spellen bij je passen. Sommige spellen vallen onder verschillende *genres*. Er zijn ook games waarbij het niet helemaal duidelijk is in welk *genre* ze horen. Op de volgende bladzijden volgt een overzicht met bekende *genres*. Er worden ook voorbeelden gegeven van bekende games die in deze categorie horen. Omdat games vaak veel Engelse termen hebben, worden zowel de Nederlandse als Engelse naam van het *genre* genoemd. Soms staat er maar één naam als *genre*. Dit komt omdat deze dan in het Nederlands en Engels hetzelfde is.

Actie/Action games

Actie of Action games zitten, zoals het al doet vermoeden, vol actie. Actiespellen kunnen te maken hebben met vechten of schieten. Een bekend *subgenre* is de First Person Shooter. Bij dit soort spellen kijk je vanuit het oogpunt van de hoofdrolspeler. Vaak zie je alleen een geweer in beeld. Je ziet dus echt alleen de dingen die het personage ook kan zien. Als je dus van achteren wordt aangevallen, zie je dit vaak te laat. Behalve de First Person Shooter heb je ook de Third Person Shooter. Bij een Third Person Shooter kun je het figuurtje waarmee je speelt wel zien. Zoals gezegd zijn ook de vechtspellen erg geliefd bij de actiegames. Je kunt spellen vinden die te maken hebben met boksen of karate. Ook heb je vechtgames die niet meteen op een specifieke vechtstijl zijn gericht. Bekende games uit het actie*genre* zijn Half Life (PC) en Mortal Kombat (Sega).

First Person Shooter - games.

Actief gamen/Active gaming

Actief gamen is een term die ook wel wordt gebruikt wanneer je
aan het bewegen bent tijdens het gamen. De Wii van Nintendo is
hier een voorbeeld van. Je hebt hierbij een afstandsbediening die
reageert op de bewegingen die je maakt. Maar active gamen heb je
niet alleen bij *consoles*. Je kunt bijvoorbeeld ook DDR doen. DDR
staat voor Dance Dance Revolution. Je hebt dan een soort dansmat
en je moet op de pijlen springen die in het scherm verschijnen.
DDR kun je ook in veel arcadehallen spelen. Bekende spellen die
onder actief gamen vallen zijn Wii Sports (Wii) en Dance Central
(Xbox360).

Arcadegames

De Arcadegames zijn eigenlijk de spellen die je in *amusementshallen* kunt spelen. De spellen hebben vaak korte *levels*, die telkens moeilijker worden. Per spel betaal je een klein geldbedrag. Dit bedrag is verschillend per *amusementenhal* en per spel. De flipperkast, die ook onder de Arcade valt, bestaat al sinds de jaren 30. Atari is sinds de jaren 70 vooral bekend geworden met de *Arcadespellen*. Bekende games zijn Pong, Pac-Man en Frogger.

Avontuur/Adventure games

Bij een Adventure game speel je een personage en moet je verschillende zoektochten doen of spullen verzamelen. De allereerste

Prachtig decor in King's Quest.

adventure games bestonden alleen maar uit tekst, je kon dan aangeven wat het personage ging doen, door commando's in te typen. Veel adventure games vallen ook onder het *genre* Role Playing Game. Het is bij de meeste avonturengames niet nodig om snel te reageren, je kunt vaak echt je tijd nemen voor het spel. Bekende games uit het Adventure *genre* zijn Myst (PC) en King's *Quest* (PC).

Muziek/Music games

Music games hebben alles te maken met muziek. Je kunt bijvoorbeeld muziekgames hebben waarbij je werkelijk muziek moet maken. Ook heb je muziekgames die te maken hebben met dansen. Deze dansgames kunnen ook bij Active Gamen horen. Bekende muziekgames zijn Guitar Hero (Playstation 2/Xbox360) en Dance Central (Xbox360)

Multiplayer games

Multiplayer games zijn spellen die je met meerdere mensen tegelijk kunt spelen. De meeste multiplayer games kun je ook alleen spelen, je speelt dan tegen de computer. Je kunt bijvoorbeeld racegames, vechtgames, of leuke partygames met een groepje spelen.

Online games

Online games zijn spellen die je op het internet kunt spelen. Er zijn steeds meer websites met games waar je spellen kunt spelen. Sommige spelletjes lijken op bekende games, zoals Pac-Man of Pong, maar je hebt ook sites die volledig nieuwe spellen maken. Er zijn verzamelsites vol spellen, maar je hebt ook sites die een geheel thema volgen. Bekende spellensites zijn Zylom.com en Neopets.com.

Party games

Party games is de naam voor het *genre* van spellen dat je met een groep kunt spelen tijdens een feest. Er zijn party games waarbij je een bordspel speelt en met minigames tegen elkaar strijdt. In een minigame moet je vaak een kleine opdracht doen, waarbij de snelste of beste speler het spelletje wint. Een minigame is dus eigenlijk een soort spelletje in het spel zelf. Vooral de Wii heeft erg veel party games, waarbij je de afstandsbediening gebruikt om bewegingen te maken. Bekende party games zijn Mario Party (Nintendo Gamecube/Wii/Nintendo DS) en Rayman Raving Rabbids (Wii).

Platform games

Een Platform game wordt ook wel jump and run genoemd. Het is vaak vooral de bedoeling om van platform naar platform te springen. Vaak moet je ook dingen als munten verzamelen. Ook kun je extra levens krijgen, maar deze zijn vaak op moeilijke plekken te vinden. Je hebt ook platformspellen waarbij je kogels moet verzamelen om te schieten. Ook zijn er platformspellen waarbij je puzzels moet doen om het *level* te halen. Bekende platformgames zijn Super Mario (Nintendo), Commander Keen (PC) en Sonic the Hedgehog (Sega).

Puzzel/Puzzle games

Puzzelspellen zijn games waarbij je puzzels moet oplossen. Dit kan zijn door bijvoorbeeld blokken in elkaar te zetten, door legpuzzels te maken of door puzzels op te lossen om het *level* te halen. Bekende puzzelspellen zijn Tetris (Game boy) en de serie van professor Layton (Nintendo DS).

Racegames zijn vanaf het begin al populair.

Race games

Het racespel hoort tot een van de oudste computer*genres*. Je doet mee aan een race en dit kan met allerlei voertuigen zijn. Denk aan autoracen, motorracen of karten. Soms heb je een besturing die eruit ziet als een stuur, om echt het racegevoel te hebben. In *Arcadehallen* vind je daarbij vaak auto's of motors waar je echt in of op kunt zitten om het spel te besturen. Bekende spellen zijn Need for Speed (Playstation), A2 Racer (PC) en Super Mario Kart (Super Nintendo).

In FlightGear wordt de werkelijkheid nagebootst.

Rollenspel/Role Playing Games

Een rollenspel, ook wel een Role Playing Game, is een game waarbij je in de huid kruipt van een personage. De ontwikkeling van je personage is dan erg belangrijk. Hoe meer je doet, hoe sterker je personage wordt. Ook kun je vaak zelf bepalen wat je personage goed kan, door XP te verdelen bijvoorbeeld. Role Playing Game wordt vaak afgekort als RPG. Bekende RPG games zijn de Final Fantasy-serie (Nintendo), Fable (Xbox) en de Pokémon-serie (Nintendo).

Simulatie/Simulation games

In simulatiespellen wordt de werkelijkheid nagemaakt. Zo kun je bijvoorbeeld een vliegtuig besturen (dit wordt ook wel flight simulator genoemd). Ook heb je spellen waarbij je iets moet bouwen of waar je de *manager* van bent. Bekende simulatiespellen zijn Sim City (PC), FlightGear (PC) en de Sims (PC).

Sport games

Sportspellen zijn ontzettend geliefd bij gamers. Je hebt spellen in alle denkbare sporten. Zo heb je de populaire voetbalspellen, honkbalspellen, korfbal, volleybal, hardlopen, boogschieten en vele andere sporten. Eerder omschreven we racegames en deze kunnen uiteraard ook onder het *genre* sport vallen. Bekende sportgames zijn Fifa Soccer 94 (Sega) en Top Spin 4 (Xbox 360).

Strategie/Strategy games

*Strategie*spellen zijn spellen waarbij je ver vooruit moet denken. Je moet dus een *strategie* bedenken om het spel te winnen. Een bekend spel is bijvoorbeeld Schaken. Hierbij moet je stap voor stap bedenken wat je kunt doen en wat de ander zou kunnen doen. Er zijn ook computergames die onder het *strategiegenre* vallen. Denk bijvoorbeeld aan Age of Empire (Pc) en Pikmin (Nintendo Gamecube).

4. MMORPG

In het vorige hoofdstuk ging het al over verschillende
genres bij computergames. De MMPORG is daar weggelaten, omdat we het daar in dit hoofdstuk uitgebreid
over gaan hebben.

MMORPG staat voor Massively Multiplayer Online
Role Playing Game. Een role playing game is in het
vorige hoofdstuk al uitgelegd. Bij een MMORPG zie
je dezelfde speelstijl. Je moet dus puzzels oplossen.
Het enige grote verschil is dat het spel online wordt
gespeeld en dat je het met medespelers kunt spelen. Ze
moeten samen problemen oplossen of samen tegen de
vijand vechten. Ook helpen ze elkaar om hun spelfi-
guur beter te ontwikkelen.

Veel MMORPG-spellen spelen zich af in een fantasiewereld. Je
kunt vaak kiezen uit een personage en deze groeit in het spel. Ieder personage kan zijn eigen specialiteiten hebben, waardoor je
andere mensen nodig hebt om verder in het spel te komen. Er zijn
veel bekende MMORPG games, waaronder:

- World of Warcraft
- Runescape
- Second Life

In het algemeen hebben MMORPG-spellen een grote kans om er
verslaafd aan te worden. Dit komt omdat het lijkt alsof je in een
compleet andere wereld bent. Ook zijn de spellen vaak niet geschikt om even een half uurtje te spelen. Hoe meer je speelt, hoe
beter je wordt en hoe beter de contacten met andere spelers onder-
houden worden. Ook heeft een MMORPG doorgaans geen einde,
waardoor je eindeloos kunt doorspelen.

World of Warcraft

World of Warcraft is waarschijnlijk de bekendste MMORPG ter wereld. Het spel is uitgebracht in 2004 door Blizzard Entertainment en heeft sindsdien al veel updates gehad. Het spel heeft naast het basisspel sowieso drie uitbreidingssets, namelijk:

- The Burning Crusade
- Wrath Of The Lich King
- Cataclysm

Je moet de spellen kopen, maar daarnaast ook maandelijks betalen om te kunnen spelen. Hier staat wel tegenover dat het spel constant ontwikkeld wordt. De fouten in een spel worden eruit gehaald. Zo kan het bijvoorbeeld zijn dat een bepaalde actie in het spel niet goed werkt. Ook worden situaties aangepast zodat de *gameplay* wordt verbeterd. Het spel heeft veel verschillende opties en is daarom erg aantrekkelijk voor vrijwel iedereen. Je kunt *quests* doen. Dit kun je alleen doen, maar ook samen met anderen. Ook kun je een beroep uitoefenen, spullen sparen of een *dungeon* (instance) ingaan. Het samenwerken in World of Warcraft is erg belangrijk. Als je *dungeons* (instances) ingaat die bij jouw niveau horen, heb je andere mensen nodig om het succesvol te kunnen halen. Iedereen heeft dan zijn eigen taak. De ene vecht tegen de vijanden, terwijl de ander een healer (genezer) is. De meeste *dungeons* worden met vijf mensen gespeeld.

Een andere optie is de Battleground in het spel. Je moet dan met een groep tegen de tegenstanders vechten. Hoe meer mensen je doodt, hoe meer punten je krijgt en hier kun je uiteindelijk weer spullen van kopen. Ook kan het de bedoeling zijn om een vlag te veroveren.

Je kunt je personage telkens sterker maken. Je gaat dan een *level* up. Met de uitbreiding van Cataclysm kunnen de speelfiguren maximaal *level* 85 bereiken.

World of Warcraft.

De wereld van World of Warcraft is ontzettend uitgebreid. Er zijn erg veel landen die je kunt verkennen, allemaal met een eigen uiterlijk en *quests* (opdrachten). Het spel heeft hierdoor erg veel te bieden en zorgt voor urenlang speelplezier.

Runescape

Runescape is ook een MMORG game, dat ontwikkeld is in 2001. Het is een spel dat je gratis online kunt spelen, maar je hebt ook de mogelijkheid om te betalen. Wanneer je betaalt, kun je gebruik maken van meer opties. Runescape is veel minder mooi dan de meeste MMORG games. De *graphics* zien er veel simpeler uit dan bij andere spellen, zoals World of Warcraft. Runescape heeft echter andere voordelen: zo hoef je niks te *downloaden* en kun je het allemaal online spelen. Het kost je dus geen ruimte op je harde schijf.

Runescape speelt zich af in de Middeleeuwen. Je kunt er een personage aanmaken dat bepaalde vaardigheden heeft. Je kunt er veel *quests* uitvoeren om verder te komen in het spel. Je verzamelt spullen, vecht tegen monsters en andere fantasywezens en probeert jezelf telkens sterker te maken. Ook kun je samenwerken of met elkaar chatten in Runescape.

Wanneer je een betaald lid bent heb je meer *quests* en meer voorwerpen die je kunt verzamelen. Je kunt natuurlijk ook altijd besluiten om eerst het spel gratis te spelen. Als blijkt dat je het erg leuk vindt, kun je altijd nog de betaalde versie doen.

Second Life

Second Life wordt door de ene persoon MMORPG genoemd, maar de ander vindt dit absoluut niet het geval. De meningen zijn hier dus erg over verdeeld. Second Life kun je zien als een soort chatbox in combinatie met het populaire spel The Sims. Het spel is gemaakt in 2003 en is lange tijd erg populair geweest. Zo populair dat zelfs bedrijven een plek zochten in deze *virtuele wereld*.

In Second Life heb je een personage waarmee je de wereld kunt verkennen. Net als in de echte wereld zijn er talloze plekken waar je heen kunt en ook kun je allerlei spullen kopen. Het kopen van spullen doe je met Linden Dollars (L$). Dit geld kun je in het spel verdienen door dingen te verkopen, maar je kunt ook echt geld omzetten in Linden Dollars. Als je heel creatief bent, kun je bijvoorbeeld kleding ontwerpen die je in het spel verkoopt. Hiermee krijg je weer meer Linden Dollars. Er zijn ook mensen die hun Linden Dollars weer verkopen, bijvoorbeeld op Ebay. Het is dus mogelijk echt geld te verdienen door de dingen die je op Second Life doet.

Ook is Second Life een goede manier geweest voor bedrijven om
zichzelf te promoten. Grote bedrijven zoals Nike en Toyota hebben een plek gehad op Second Life, om zo reclame te maken voor
hun bedrijf.

Het chatten is ook een belangrijk aspect op Second Life. De meeste
mensen komen er om gezellig met anderen te kletsen en zo nieuwe
contacten op te doen. In Second Life gelden geen regels en je kunt
– met uitzondering van enkele werelden – niet doodgaan. Er zit
geen einde aan en dat is dan ook een reden waarom veel mensen
Second Life zo leuk vinden.

5. Bekende personages in games

Veel games zijn herkenbaar aan de personages of figuurtjes waarmee je kunt spelen. Er zijn vaak al hele reeksen games te vinden waar deze figuren een grote rol in spelen. Veel figuurtjes zijn wereldberoemd en ze hebben een groot aantal fans. Welke personage zijn er allemaal en wat is hun geschiedenis?

Mario

Mario de loodgieter is waarschijnlijk wel het bekendste personage uit de gamewereld. Mario en zijn broer Luigi komen in veel games voor. Mario is de *mascotte* van Nintendo geworden en iedereen kent hem ondertussen wel. Mario heeft blauwe tuinbroek, een rood mutsje en een snorretje. Hij is een beetje dik.

Het eerste spel waar Mario in verscheen, was Donkey Kong. Dit is een spel uit 1981 en was te spelen in de *Arcadehallen*. In dit spel is het Mario's taak om de prinses te redden die door een reusachtige aap (Donkey Kong) gevangen is genomen. Je moet over plateaus naar boven lopen en ondertussen gooit de aap allerlei tonnen naar beneden die Mario moet zien te ontwijken.

In 1983 verscheen Mario Bros. Dit was het eerste spel waar we kennismaakten met Luigi, de broer van Mario. Mario Bros kon met twee spelers worden gespeeld. Speler één kon met Mario spelen en speler twee met Luigi. Luigi is een stuk langer dan Mario, minder dik en draagt groene kleding in plaats van rode.

Yoshi, een soort draak of dinosaurus, kwam voor het eerst in 1991 in het spel Super Mario World. Yoshi komt uit een ei en heeft een lange tong waarmee hij dingen kan inslikken. Mario en Luigi kunnen op Yoshi rijden.

Natuurlijk is er ook nog Princess Peach. Een prinses die in vrijwel ieder spel gered moet worden. Princess Peach kwam voor het eerst in het spel Super Mario Bros in 1985 en heeft een roze jurk aan. De andere princess is Princess Daisy, zij kwam voor het eerst in 1989 in het spel Super Mario Land voor de Gameboy. Ze is in het oranje gekleed. Beide prinsessen zijn geregeld terug te vinden in andere spellen. In 2006 kreeg Princess Peach zelfs haar eigen spel: Super Princess Peach.

Er zijn nog veel meer bekende personages in de Mario spellen, zoals Bowser (de eeuwige vijand van Mario), Toad (paddenstoel) en Boo (een spook). Mario heeft al veel avonturen beleefd. Er zijn talloze spellen verschenen waarin Mario de hoofdrol speelt, zoals puzzelspellen, platformspellen, vechtspellen, dansspellen en sportspellen. Mario heeft ook een tijdje een eigen tekenfilm op televisie gehad.

Sonic

Sonic was het antwoord van Sega op Mario. Sonic werd al snel de *mascotte* van Sega en er leek een hele strijd onder de gamers te ontstaan. Je kon niet én Sonic én Mario leuk vinden. Sonic is een egeltje dat een helderblauwe kleur heeft, grote blauwe stekels op zijn hoofd en rug en rode loopschoenen. Sonic staat vooral bekend om zijn enorme snelheid. Wanneer hij zich oprolt als een bal kan hij zich enorm snel verplaatsen.

Het eerste spel waar Sonic in verscheen was het gelijknamige Sonic in 1991. In dit spel moet Sonic zijn snelheid gebruiken om ringen te pakken te krijgen. Hierbij moet hij door gangen en loopings rennen, maar ook vijanden verslaan.

De vijand van Sonic is Dr Eggman. Hij doet er alles aan om Sonic tegen te werken en de wereld te veroveren. Dokter Eggman leerden we kennen in het eerste deel van de Sonic games en is vanaf die dag altijd al de vijand van de egel geweest. Vanaf het spel Sonic the Hedgehog 2 krijgen we ook te maken met het personage Tails. Tails is een vos met twee staarten. Hij kan zijn staarten gebruiken om te vliegen. Tails heeft ook zijn eigen games gekregen. Het eerste solospel van Tails was Tails' Skypatrol in 1995. Dit was een puzzelspel voor de Game Gear.

Andere karakters uit Sonic zijn Amy Rose, Blaze the Cat, Cream the Rabbit, Silver the Hedgehog en Shadow the Hedgehog. Sonic en zijn vrienden hebben ook verschillende tekenfilms op televisie gehad.

Link

Link is het hoofdpersonage uit de spellen van The Legend Of Zelda. Dit is een spellenserie van Nintendo, waarin Princess Zelda gered moet worden. De spellen van Zelda zijn action-adventure games, waarin het puzzelen en de actie centraal staan.

Link is een personage met groene kleren aan en een groene muts op zijn hoofd. In sommige games draagt hij rode of blauwe kleding. Om te vechten heeft Link het Master Sword nodig, waarmee hij de gevaarlijke vijanden kan verslaan. Ook heeft hij bommen, een boemerang en een pijl en boog. Soms heeft hij ook een muziekinstrument dat hij kan gebruiken om magische poorten te openen. In veel spellen heeft Link ook een vervoermiddel, zoals een boot of trein.

Het eerste spel waar Link in schitterde was de Legend Of Zelda, dat in 1986 verscheen. Ondertussen is deze groene held al in veel spellen te zien geweest. Hij heeft ook geschitterd in puzzel- en vechtgames. Een opvallend feit is dat Link één van de weinige personages is die linkshandig is.

Pikachu

Pikachu is waarschijnlijk de bekendste Pokémon (een soort dier) uit de spelletjes van Pokémon, dat sinds 1995 bestaat. Pikachu heeft het uiterlijk van een soort gele hamster. Sinds 1999 zijn de spellen van Pokémon ook te krijgen in Nederland en België. In

De metamorfose van Pikachu.

de spellen van Pokémon is het de bedoeling om zoveel mogelijk Pokémon te vangen. Je gebruikt de Pokémon om tegen andere Pokémontrainers te vechten. Er zijn honderden verschillende
Pokémon te verzamelen en je kunt ze ook met elkaar ruilen als je
hetzelfde spel hebt. In het eerste spel waren er rond de hondervijf-
tig Pokémon, maar dit aantal is de laatste jaren enorm gegroeid.

Alle Pokémon hebben eigen krachten die ze kunnen gebruiken tijdens een gevecht. Pikachu is een elektrische Pokémon, maar je
hebt ook Pokémon die andere specialiteiten hebben. In een spel
kun je altijd een aantal Pokémon bij je dragen en deze verwisselen
tijdens een gevecht.

Lara Croft.

De eerste spellen van Pokémon waren de Pokémon Red en Pokémon Blue, beiden voor de Gameboy. Van Pokémon verschijnen er vrijwel altijd twee spelen tegelijkertijd, die op een paar kleine verschillen na helemaal hetzelfde zijn. Deze verschillen hebben met name te maken met de Pokémon die je in het spel kunt vinden. Vrienden kunnen dus ieder een andere versie kopen en de Pokémon die ze vangen met elkaar ruilen.

Behalve de vele Pokémon games, zijn er ook tekenfilms verschenen met deze grappige beestjes in de hoofdrol. Ook is er een ruilkaartenspel verschenen met Pokémon in de hoofdrol. Pokémon is de op een na meest succesvolle serie. De grootste is natuurlijk Mario.

Lara Croft

Lara Croft is de heldin uit de Tomb Raider-spellen. Lara Croft was de eerste bekende vrouwelijke hoofdpersoon in een actiespel. Er zijn meerdere delen van verschenen. Tomb Raider verscheen in 1996 voor de PlayStation.

Lara Croft is archeologe en ze is op zoek naar belangrijke schatten. Het grootste gedeelte van de spellen bestaat uit actie en zoektochten. Lara Croft valt vooral op door haar fraaie verschijning. Lara is een slanke vrouw en vooral haar borsten zijn wereldwijd bekend. Er zijn zelfs hele discussies geweest over de borsten van Lara Croft, omdat mensen wilden weten wat de maat was. Ook zijn er discussies geweest over de vrouwvriendelijkheid van Lara, aangezien het meer op een fantasie voor mannen leek. Mede door de vele discussies heeft Lara immense populariteit gekregen. Er is zelfs een ster van haar op de Walk of Fame te vinden en zijn er twee films gemaakt van het spel Tomb Raider.

Gordon Freeman

Gordon Freeman is de hoofdpersoon in de spellen Half-Life. Het eerste deel was voor de PC kwam uit 1998. Half-Life is een populaire game. Het is een First Person Shooter. Het spel speelt zich af in een gebouw dat Black Mesa Research Facility heet en in de Amerikaanse staat New Mexico staat. Op een dag gaat er een experiment volledig mis, waardoor Gordon Freeman voor zijn leven moet vechten tegen aliens.

Er zijn meer mensen in het laboratorium die Gordon helpen tijdens zijn zoektochten. Zo is Barney Calhoun lid van de beveiligingseenheid. Later is hij de hoofdrolspeler in Half-Life: Blue Shift. Een ander bekend personage uit de games is G-man. Dit personage zie je af en toe en het is niet echt duidelijk wie hij eigenlijk is en

Solid Snake.

wat hij doet. Op het eindpunt heeft Gordon Freeman samen met G-man een gevecht tegen duizenden aliens.

Solid Snake

Solid Snake is de hoofdpersoon uit de Metal Gear games. Metal Gear is een reeks spellen waarbij actie en *strategie* worden gecombineerd. Je moet niet alleen om je heen schieten, maar ook listen bedenken om een kamer in te sluipen. Solid Snake begint in alle spellen alleen met zijn vuisten, een radio, sigaretten en een verrekijker. Wapens moet hij nog vinden. Solid Snake heeft alleen hulp van buitenaf, via de radio. De eerste variant van dit spel is in 1987 verschenen.

Ondertussen zijn er al tientallen spellen van ontwikkeld en steeds wordt de speler uitgedaagd met nieuwe mogelijkheden en landen. Telkens weer moet Solid Snake de missies zien te voltooien. De games hebben al een grote groep fans.

6. Games alleen voor jongens?

Lang werd door de meeste mensen gedacht dat computerspellen alleen voor jongens zijn. Tegenwoordig spelen ook veel meisjes spelletjes en er zijn zelfs computergames voor hele kleine kinderen, gezinnen en senioren.
Hoe komt het nou eigenlijk dat de games lange tijd
door voornamelijk jongens werden gespeeld? Er zijn
veel onderzoeken gedaan naar de verschillende soorten
gamers.

Games voor meisjes

Games waren een lange tijd vooral bedoeld voor jongens. Meisjes
vonden de games op de markt niet leuk en er werd weinig rekening gehouden met de behoeften van de meisjes. Dit kwam vooral
omdat de mensen die games ontwikkelden voornamelijk mannen
waren, die eigenlijk niet wisten wat meisjes leuk vonden. Er verschenen daarom wel meisjesspelletjes, maar deze waren vooral
heel roze en vol prinsessen. Dit was echter niet wat de meeste
meisjes wilden.

De eerste game die redelijk aansloeg bij meisjes, was Pac-Man.
Dit spel was zowel geliefd bij mannen als bij vrouwen. Daarna
mislukten de meeste pogingen om games te ontwikkelen voor
meisjes en vrouwen volledig. De meeste games waren gericht op
sport of geweld en dit sprak maar weinig meisjes aan.

Het eerste echte succes bij meisjes was het spel The Sims en in dit
spel beschikt de speler over het *virtuele* leven van mensen. Je kunt
zelf bepalen wat ze aanhebben, wat ze doen en met wie ze praten.
Ook kun je hun huizen bouwen en ze een baan geven om meer

geld te verdienen. Rond de 70% van de gebruikers is vrouwelijk. Van The Sims zijn er al meerdere delen verschenen en ieder deel heeft meerdere uitbreidingspakketten. Met deze uitbreidingspakketten zijn er nog meer mogelijkheden voor The Sims.

> **The Sims was de eerste game die toestond dat mannen met mannen samenleven en vrouwen met vrouwen.**

Tegenwoordig verschijnen er steeds meer games die meisjes leuk vinden. Toch blijft het erg lastig om spellen te ontwikkelen die meisjes leuk vinden. De mensen die games ontwikkelen zijn nog steeds voornamelijk mannen. Wel zijn er enkele punten waar men al achter is gekomen. Vrouwen houden niet van games waarin de vrouw een *stereotype* is. Ze willen ook liever niet al te veel geweld. Geweld wordt door de meeste meisjes als saai gezien. Ook is het gebleken dat de meeste vrouwen ook graag met een personage spelen dat ook een vrouw is. Dit personage moet er niet te nep uitzien: dus niet met grote borsten en een enorm achterste. De meeste vrouwen vinden het niet prettig om met een personage te spelen dat puur is gemaakt voor de lust van de mannelijke spelers.

Er worden nog steeds onderzoeken gedaan naar het game-gedrag van meisjes. Zo hoopt men om betere games te ontwikkelen die ook de meisjes aanspreken.

Games voor senioren

Veel mensen denken dat de senioren niet gamen. Dit is echter niet waar. Ze spelen alleen andere spelletjes dan de jongere gamers. Zo spelen senioren graag de spelletjes die door Windows worden meegeleverd. Denk aan Patience en Mijnenveger. Ook Mahjong is een spel dat graag door senioren wordt gespeeld. Veel senioren

Schaken is er als game in allerlei vormen.

kopen goedkope spellen die vol staan met kaartspellen of puzzel-spellen.

Bij veel mannen van vijftig jaar en ouder zijn ook de flight simula-tors erg geliefd. Dit zijn spellen waarbij het bijvoorbeeld lijkt alsof je in een vliegtuig vliegt. Ook spelen ze graag een spelletje schaak. Er zijn veel schaakgames te verkrijgen. Bij veel vrouwen van vijf-tig jaar en ouder zijn de Hidden Object games erg geliefd. In deze spellen zie je een scherm, waarbij je op zoek moet naar bijvoor-beeld tien voorwerpen. Deze zitten verstopt in de afbeeldingen. Natuurlijk zijn er ook senioren die andere games spelen, bijvoor-beeld actiespellen.

Games voor kleine kinderen

Voor kleine kinderen zijn er ook veel spelletjes te vinden. Het is voor de gamesmakers wel heel moeilijk om games te maken die

Freddi Fish.

jonge kinderen leuk vinden. Ze kunnen vaak nog niet lezen en weten ook niet dat de toetsen op een computer verschillende betekenissen hebben. Ook moet er genoeg gebeuren om de kinderen geïnteresseerd te houden en is het belangrijk dat het spel kleurrijk is. Veel ouders willen ook nog eens dat de kinderen iets leren van de spelletjes.

Spelletjes die vroeger erg leuk waren voor kinderen, waren de spellen met Freddy Fish in de hoofdrol. Deze spellen waren erg kleurrijk en de kinderen konden met de muis door de onderzeewereld gaan om een probleem op te lossen. Overal waar je op klikte, kon er iets gebeuren. Als je bijvoorbeeld op een waterplantje klikte, dan kwam er een klein visje tevoorschijn. Ook de spellen met Dora in de hoofdrol zijn geliefd. Dora is bekend van de gelijknamige tekenfilmserie en op een leuke, speelse wijze leren de kinderen een heleboel nieuwe dingen.

Games voor vrouwen

Huisvrouwen hebben lange tijd weinig tot geen games gespeeld. Nintendo heeft hier verandering in gebracht. Nintendo wilde namelijk ook een andere doelgroep aanpreken dan de gamers die er reeds waren. Het bedrijf begon hiermee met de Nintendo DS. Door spellen te ontwikkelen die de vrouwen aansprak, probeerden ze een geheel nieuwe doelgroep voor de games te krijgen. Zo verschenen er veel puzzelspellen op de Nintendo DS. Ook kwamen er de echte Brain training games. Hierbij kun je je geheugen trainen met allerlei kleine oefeningen. Deze spellen bleken erg geliefd te zijn bij vrouwen.

Nintendo ging nog een stap verder met de komst van de Wii. Deze *console* is helemaal gericht op beweging en dus verschenen er al snel talloze *fitness-* en sportgames. Veel vrouwen hebben hierdoor besloten een Wii te kopen: ze kunnen lekker vanuit huis sporten en dit was voor veel vrouwen een groot pluspunt.

Er zijn natuurlijk ook vrouwen die andere spellen spelen. Zo zijn er genoeg vrouwen met een *account* bij World of Warcraft of zijn ze erg actief in het spelen van spelletjes op internetsites. Denk bijvoorbeeld aan www.zylom.nl of www.playtopia.nl.

7. Hoe worden computergames gemaakt?

Een computergame kan heel klein en simpel zijn, zoals de meeste spelletjes op websites die meestal met het computerprogramma Flash zijn gemaakt, maar het spel kan ook heel groot en uitgebreid zijn. Denk aan de games op de *consoles*. Soms werken er wel meer dan honderd mensen aan één game en iedereen heeft zo zijn eigen taak.

Het basisidee

De eerste stap voor het ontwikkelen van een game is het bedenken van de basis. Vaak is er een groep mensen die samen gaan vergaderen om te bedenken wat ze willen. Er worden vragen gesteld, zoals:
- Wat willen we bereiken met het spel?
- Wat voor een soort spel moet het zijn?
- Welke regels zijn van belang?

Er wordt overlegd om te kijken wat mogelijk is en hoe het verhaal zo goed mogelijk kan worden uitgewerkt. Het basisidee is erg belangrijk en er wordt dan ook veel tijd gestoken in het vergaderen en overleggen. De makers hopen natuurlijk op een echte hit en halen alles uit de kast om dit voor elkaar te krijgen.

Schrijvers

Veel games bevatten een verhaal. Hier zijn speciale schrijvers voor aangenomen. Zij zorgen ervoor dat het verhaal goed op papier komt te staan. Ze maken vaak een globaal *draaiboek*, dat iedereen moet volgen. Ook verzinnen ze de teksten die in beeld komen te staan in het spel, of die personages uitspreken. Een schrijver moet er rekening mee houden dat het verhaal logisch te volgen moet zijn en geen fouten mag bevatten.

Ontwerpen van de game

Speciale *game designers* ontwerpen de personages in het spel. Ze hebben hier speciale *software* voor, waarmee een personage van alle kanten kan worden gemaakt. Er wordt een 3D-personage gemaakt, dat van alle kanten zichtbaar is. Ook maken de designers de wereld waar het spel zich in afspeelt. Vaak wordt een spel beeldje voor beeldje gemaakt.

Level design

Level design is ook wel het ontwerpen van een *level*. Een *level* designer gebruikt de elementen die zijn aangeleverd door de designers en maakt er een geheel van in een *level*. Alles moet op de juiste plek worden gezet. Waar komen de vijanden? Waar kun je bonussen en beloningen vinden? Hoe zit het met speciale geheime locaties? De *level* designers zorgen ervoor dat er met al deze punten rekening wordt gehouden. Soms verstoppen ze ook easter eggs in een spel. Easter eggs zijn kleine verborgen grappen of boodschappen die niet meteen opvallen.

Programmeurs

Het is de taak van de programmeurs om het spel werkend te maken. De personages in een game moeten reageren op de commando's van de speler. Ook moet alles kloppend worden gemaakt, zodat er geen *bugs* in een spel zitten.

Muziek en stemmen

Bij een goede game hoort goede muziek. Meestal wordt muziek gemaakt door speciale mensen, die je ook wel *componisten* noemt. *Componisten* schrijven de muziek die bij de game past. Soms kiezen de makers van games ervoor om bekende liedjes te gebruiken. Dan moeten ze zorgen dat ze toestemming van de artiesten krijgen. Dit kost wel geld en de artiest wil duidelijk worden vernoemd, bijvoorbeeld in de aftiteling.

Behalve de muziek moeten de gamemakers ook mensen vinden die stemmen inspreken voor de games. Je hebt speciale stemacteurs die dit kunnen doen. Er wordt iemand gezocht waarvan de stem bij het personage past, zodat het een mooi geheel wordt. Vaak zit iemand die een stem moet inspreken wel dagen in de opnamestudio om te zorgen dat de uitspraken precies goed zijn.

Samenwerken

Iedereen die aan een computergame werkt, moet goed kunnen samenwerken. Alles moet worden overlegd en regelmatig werkt iemand weer verder aan de ontwerpen van iemand anders.

Opleidingen

Er zijn verschillende opleidingen die je kunt volgen wanneer je games wilt maken. Er komen zelfs steeds meer opleidingen bij. Bij de meeste opleidingen leer je hoe je games kunt ontwerpen. Ook leer je werken met de *software* die de meeste grote ontwik-

Er zijn opleidingen waar je zelf games kunt leren maken.

kelaars ook gebruiken. Daarnaast leer je in teamverband werken. Let wel goed op dat je een opleiding kiest die goed is. Omdat het aanbod zo groot is, zitten er ook veel opleidingen bij waar je enkel de basis leert en die je weinig kunnen bieden voor de toekomst. Ook is het goed om te vermelden dat het nog steeds moeilijk kan zijn een baan te vinden wanneer je een opleiding hebt voltooid. In Nederland zijn er al weinig banen voor gamesontwikkelaars en in het buitenland zijn de meeste plekken al vol. Enkele plekken waar je terecht kunt voor een opleiding:

- Hogeschool voor de Kunst Utrecht (Game Design and Development)
- Hogeschool voor de Kunst Utrecht (Game Art)
- *Grafisch* Lyceum Rotterdam (Game Art)
- Mediacollege Amsterdam (Game Artist)

8. Gameverslaving

Een gameverslaving komt steeds vaker voor. Is een gameverslaving gevaarlijk en wanneer ben je verslaafd aan gamen?

Wat is een gameverslaving?

Iemand die verslaafd is aan het spelen van games, kan vaak niet meer ophouden met gamen. *Persoonlijke verzorging* en *sociale contacten* zijn niet meer belangrijk. Er wordt enkel nog gespeeld. Jongeren maken vaak hun huiswerk niet, omdat ze willen gamen en volwassenen kunnen het hele huishouden vergeten. Er zijn ook mensen die verslaafd zijn aan gamen en daardoor vrijwel niet meer eten. Meestal wordt er van een gameverslaving gesproken als iemand meer dan zes uur per dag aan het gamen is. Dit betekent echter niet dat iedereen die veel games speelt, ook werkelijk verslaafd is. Vooral jongens en mannen hebben last van een gameverslaving, maar het kan ook voorkomen bij meisjes en vrouwen.

Hoe kan een gameverslaving ontstaan?

Een gameverslaving kan ontstaan doordat mensen zich niet prettig voelen in de echte wereld. Het kan zijn dat ze onzeker zijn, weinig vrienden hebben of dat er andere problemen zijn waar ze tegenaan lopen. Het gamen is hierdoor vaak een ontsnapping uit de echte wereld. Je kunt in de game in een hele andere wereld zitten, waar je bijvoorbeeld wordt gezien als een held.

Het spel waar de meeste mensen verslaafd aan zijn is World of Warcraft

Sommige spelletjes zijn daarbij erg makkelijk om verslaafd aan te raken. Dit geldt bijvoorbeeld voor spellen waarbij je een highscore moet verbeteren. Een voorbeeld hiervan is Tetris. Dit spel heeft veel mensen uren achter elkaar laten spelen. Tetris is een spel waarbij je lijnen moet maken met

Game-verslaving kan behoorlijk uit de hand lopen.

vallende blokjes. Het spel was vooral in de jaren negentig erg populair. Ook de MMORPG zijn erg gevoelig voor verslavingen. De makers hebben erg veel elementen in de spellen gestopt, waardoor mensen willen doorspelen. Ook zijn het vaak spellen die je niet voor slechts een half uur kunt spelen.

Waar heb je last van als je een gameverslaving hebt?

Veel mensen die een gameverslaving hebben, zien weinig van de wereld om hen heen. Ze zijn alleen maar bezig met het spel en denken niet aan de mensen met wie ze in één huis wonen. Ook het werk en school kunnen vergeten worden. Ze kunnen heel prikkelbaar reageren en kwaad worden als er iets wordt gezegd. Ook in de spellen zelf zijn ze vaak erg boos en ze nemen de game heel serieus. Als iemand niet goed genoeg speelt, dan kan iemand met een gameverslaving gaan schelden. Hij of zij heeft er alles voor over om het spel te winnen.

Veel mensen met een gameverslaving gebruiken andere middelen om beter en langer te kunnen gamen. Ze drinken koffie of energiedrankjes. Soms gaan ze zelfs drugs gebruiken om langer wakker te blijven en op deze manier meer spellen te kunnen spelen.

Sjoerd vertelt over zijn gameverslaving: "Ik was zestien toen ik World of Warcraft ontdekte. Ik vond het meteen geweldig om te spelen en besteedde er veel uren per dag aan. Altijd was ik bezig om mijn personage sterker te maken en zocht ik naar mensen om mee samen te werken. Vaak bleef ik tot drie uur 's nachts achter de computer en overdag dronk ik heel veel energydrank, zodat ik niet in slaap zou vallen op school.

Mijn ouders wisten niet dat ik zo lang aan het gamen was. Ik had een slaapkamer op zolder en deed gewoon mijn lichten uit. Niemand had iets door. In de game was ik vaak erg agressief. Vooral als ik moest samenwerken met mensen die er helemaal niets van konden. Ik schold ze uit, omdat ik niet wilde verliezen. Het ging van kwaad tot erger en mijn cijfers op school werden steeds lager. Aan het einde van het schooljaar kreeg ik zelfs te horen dat ik moest blijven zitten. Toen kregen mijn ouders argwaan. Ze hadden altijd al een vermoeden dat ik veel aan het gamen was, maar wisten het niet zeker. Opeens werd ik gecontroleerd en moest om tien uur de computer verplicht uit. Dat hielp niet, ik luisterde gewoon tot ik hoorde dat mijn ouders gingen slapen. Als zij op bed lagen ging ik toch weer stiekem gamen.

Mijn vader heeft op een gegeven moment besloten dat mijn PC niet langer meer op mijn slaapkamer mocht staan. Er werd een wachtwoord op de computer gezet en een tijdsklok ingesteld. Ik mocht alleen achter de computer als mijn ouders erbij waren en ze konden controleren wat ik deed. Dit was heel erg moeilijk voor me en we hebben ook erg veel ruzie gehad. Toch hebben mijn ouders volgehouden en dit heeft me geholpen. Mijn cijfers op school gingen weer omhoog en ik was veel gezelliger.

Ik heb nooit doorgehad hoe verslaafd ik was. Nu ben ik mijn ouders dankbaar voor de moeite die ze hebben genomen."

Wanneer heb je een gameverslaving?

Helaas zijn er nog steeds geen duidelijke richtlijnen om aan te tonen wanneer iemand een gameverslaving heeft. Sommige instanties houden wel richtlijnen, zoals een x-aantal uur gamen per week. Echter is niet iedereen verslaafd die veel uren aan het gamen is. Officiële richtlijnen zijn er ook nog niet, maar hier wordt wel veel onderzoek naar gedaan om meer duidelijkheid te kunnen scheppen.

Hoe kom je van je verslaving af?

Een gameverslaving wordt vaak erg onderschat, maar kan net zo ernstig zijn als andere verslavingen. Denk hierbij aan een rookverslaving, verslaafd zijn aan drugs of alcohol of een gokverslaving. Het probleem moet dus serieus worden genomen. Je kunt proberen om minder te gamen, maar wanneer je verslaafd bent is dit erg lastig. Wel kun je vragen aan mensen je te helpen. Sommige games en *consoles* hebben de mogelijkheid een tijdklok in te stellen. Iemand in je omgeving zou het wachtwoord kunnen bepalen, zodat het voor jou ook echt niet mogelijk is om langer te gamen dan is toegestaan. Tegenwoordig heb je zelfs klinieken voor mensen die verslaafd zijn aan games. Er zijn steeds meer mensen die hierheen gaan om hulp te krijgen voor hun gameverslaving.

Parental control

Veel *consoles* en computers hebben de optie om een parental control (ouderlijke controle) in te voeren. Dit betekent dat het apparaat automatisch uitschakelt als er een bepaalde tijd is gespeeld. Alleen met een speciale code of wachtwoord kan er weer worden gespeeld. Dit kan een goede manier zijn om minder te gamen en van je verslaving af te komen. Wel moet onthouden worden dat parental control geen waterdichte methode is. Er zijn altijd manieren te vinden waardoor er toch een game kan worden gespeeld.

9. Voordelen van games

Heel veel mensen zien vooral de nadelen van games.
Zo kan het verslavend en het tijdrovend zijn. Games
hebben echter ook veel voordelen. Mensen die veel
gamen kunnen hier zeker van profiteren. Hieronder
vind je enkele voordelen van het gamen.

Probleemoplossend denken

Veel gamers kunnen probleemoplossend denken. Dit komt omdat
je bij de games ook flink aan het puzzelen kunt zijn om een stukje
verder te komen. Hierdoor leren veel gamers om anders te denken.
Dit kan in het echte leven ook voordelen met zich meebrengen. Zo
kun je een betere functie in een bedrijf krijgen. Er zijn zelfs bedrijven die speciale games hebben ontwikkeld voor hun werknemers,
om te zorgen dat ze probleemoplossend leren werken.

Leren is leuk!

Gamen is een goede manier om meer te leren. Kinderen die edu-
catieve spelletjes spelen, leren veel makkelijker om te rekenen of
schrijven. Ook heb je verschillende spelletjes die vol staan met
oefeningen. Een goed voorbeeld hiervan is Brain Training dat op
de Nintendo DS is verschenen. Je kunt hiermee je hersenleeftijd
verhogen. Je kunt bijvoorbeeld de hersenleeftijd van iemand van
dertig hebben, terwijl je zelf twintig bent. Dit betekent eigenlijk dat
je dus het denkniveau van een bepaalde leeftijd hebt. Ook kun je
spellen spelen die de geschiedenis vertellen. Dit is bijvoorbeeld in
een game als Civilization het geval. Ook kun je heel goed werken
aan je Engelse taal. Mensen die veel gamen zijn doorgaans goed in
Engels. Veel dingen leer je zonder er echt bewust van te zijn.

Met de Wii
verbeter je
jouw conditie.

Goed reageren

Veel games zijn heel erg snel. Je moet kunnen reageren wanneer er iets gebeurt in een game. Als je te laat bent, dan ben je in veel spellen dood of verlies je punten en dat is natuurlijk niet de bedoeling. Het heeft veel voordelen in het echte leven als je snel kan reageren. Zo is gebleken dat voetballers die veel games spelen in hun vrije tijd, veel sneller in de gaten hebben wat er allemaal op het veld gebeurt. Dokters die operaties moeten uitvoeren reageren ook vaak veel beter als ze regelmatig games spelen.

Werk aan je conditie

Er zijn mensen die er een hekel aan hebben om naar de sportschool te gaan. Ze vinden het saai of willen liever niet dat iedereen hen ziet sporten. Tegenwoordig kun je met een *console*, zoals de Wii of de Xbox 360 lekker in huis sporten. De sportoefeningen zijn in een minigame gestopt of hebben een leuk uiterlijk, waardoor je soms niet eens in de gaten hebt dat je aan het sporten bent. Een hele leuke manier dus om aan je conditie te werken.

Vind de liefde van je leven

Veel mensen ontmoeten elkaar via games. Dit kan bijvoorbeeld via websites zijn waar je online met elkaar kunt chatten terwijl je een spel speelt. Ook MMORPG is een goede manier om mensen te leren kennen. Het is al vaker voorgekomen dat er zelfs relaties zijn ontstaan via een game. Let wel altijd goed op als je in contact komt met andere mensen. Geef nooit zomaar je persoonlijke gegevens en onthoud dat niet iedereen de waarheid spreekt.

Hulp bij concentratiestoornis

Mensen die last hebben van een concentratiestoornis, kunnen er baat bij hebben als ze gamen. Gamen is namelijk een leuke manier waarbij concentratie vaak vereist is. Ook voor kinderen met ADHD kan gamen een hele goede oplossing zijn. De focus ligt dan zo op het spel, dat ze veel minder druk zijn. Helaas is gamen geen echte oplossing tegen een concentratiestoornis. Het kan een hulpmiddel zijn voor veel kinderen om toch te leren hoe ze zich kunnen concentreren.

Olaf vertelt: "Ik heb ADHD en ben daardoor erg druk. Mijn ouders wisten maar niet hoe ze me rustiger moesten krijgen. Tot ik een Game Boy kreeg, toen zagen ze hoe geconcentreerd ik was. Het gamen had een hele goede uitwerking op me. Ik werd er rustiger door en leerde hoe ik me kon focussen. Dit heb ik ook kunnen toepassen op school."

10. Professioneel gamen

Het spelen van games is niet altijd een hobby. Het kan ook een beroep worden. Je moet dan wel erg goed zijn in het spelen van games. Wanneer je heel erg goed bent, kun je meedoen aan toernooien. Met die toernooien kun je veel geld verdienen.

Hoe word je professioneel gamer?

Er is geen opleiding om professioneel gamer te worden. De meeste professionele gamers zijn dit geworden omdat ze veel hebben geoefend. Hoe meer ze gamen, hoe beter ze in het spel worden. Je moet goede vaardigheden hebben en snel kunnen reageren. Er zijn verschillende stappen te nemen om professioneel te kunnen gamen. Als eerste moet je uitzoeken welke games veel tijdens toernooien worden gespeeld. Daarna kun je het betreffende spel oefenen. Het beste is om dit eerst tegen de computer te spelen, zodat je begrijpt hoe het spel wordt gespeeld en waar je rekening mee moet houden. Daarna kun je proberen online te spelen tegen andere mensen. Je merkt dan meteen dat mensen vaak heel anders spelen dan de computer en in het begin zal het waarschijnlijk ook tegenvallen, omdat je niet direct wint. Hoe vaker je oefent, hoe beter je wordt. Je moet een game echt door en door kennen, zodat je precies weet hoe het in elkaar zit en wat mensen kunnen doen. Ben je echt goed geworden, dan kun je overwegen om mee te doen aan toernooien.

Toernooien

Er zijn verschillende soorten toernooien waar je aan mee kunt doen. Sommige games hebben een online-toernooi waar je vanuit

In hallen worden competities gehouden op hoog niveau.

je huis aan mee kunt doen. Je moet je online inschrijven voor deze wedstrijden bij de organisatie. Soms moet je voor inschrijving geld betalen. Als je eenmaal bent ingeschreven kun je punten verdienen en wanneer je de meeste punten hebt, win je het toernooi. Vaak zijn er verschillende prijzen voor de top. Hoe vaker je deze toernooien speelt, hoe beter je zult worden. In het begin zul je waarschijnlijk niet hoog komen in de ranglijsten.

Er zijn ook toernooien op locatie. Je hebt grote toernooien, maar ook kleinere. Als je net begint kun je beter meedoen aan de kleinere toernooien. Bij de grotere toernooien kom je niet zomaar binnen: vaak moet je jezelf al bewezen hebben. De hele grote toernooien kunnen enorme geldprijzen uitkeren aan de winnaars.

*Online kun je
natuurlijk spelen
met gamers over
de hele wereld.*

Wereld afreizen

Als professioneel gamer moet je vaak over de hele wereld reizen. De meeste toernooien zijn in de Verenigde Staten en in Japan, maar ook in andere landen kun je meedoen aan toernooien. Een groot toernooi kan soms dagen achter elkaar duren.

Denk aan je opleiding

Voor veel mensen is het beroep van professioneel gamer een echte droom. Het is echter niet zo dat iedereen goed genoeg is om professioneel gamer te worden. Het is erg belangrijk om sowieso een schooldiploma te halen, zodat je een beroep kunt uitoefenen. Het is zonde als je veel tijd hebt besteed aan het gamen, maar nooit goed genoeg wordt om professioneel aan de slag te kunnen.

11. Piraterij en games

Veel mensen kiezen ervoor om computergames te *downloaden*. Er zijn talloze redenen te bedenken om spellen te *downloaden*. De belangrijkste reden is doorgaans dat het goedkoper is en dat spellen in de winkel vaak ontzettend duur zijn. Maar hoe zit het eigenlijk met het *downloaden* van games? Hoe zit het met de wet en wat zijn de gevaren?

De wet voor het *downloaden* van games

Volgens de wet in Nederland is het ten strengste verboden om games te *downloaden*. Dit heeft te maken met de auteurswet. De auteurswet betekent dat wanneer jij iets hebt gemaakt (zoals een boek, een film, een game of een muziekstuk), de rechten bij jou liggen. Mensen mogen niet zomaar jouw werk verspreiden, zonder dat je er zelf iets voor krijgt. Dit gebeurt bij het *downloaden* wel. Wanneer er geen toestemming is gegeven door de makers van de game, mag het dus niet worden gedownload.

Volgens de wet is het zelfs niet toegestaan om een game te *downloaden* die je zelf in bezit hebt. Dit mag wel bij boeken, films en muziek, maar bij games is de wet een stuk strenger. Het *downloaden* is dus hoe dan ook verboden. Ook is het verboden om games aan te bieden op internet om te *downloaden*. Sommige mensen bouwen hun *console* om. Dit doen ze omdat je er anders geen games op kunt spelen. Er wordt vaak gezegd dat het ombouwen van een *console* mag, omdat het je eigen bezit is. Volgens de wet is het echter ook niet toegestaan om een *console* om te bouwen.

Wanneer je toch downloadt, kan dit enorme boetes opleveren. De boete kan oplopen tot 45.000 euro en een celstraf. Het bedrag is natuurlijk afhankelijk van de mate waarin je hebt gedownload. Iemand die bijvoorbeeld een eigen site heeft vol met games die je kunt *downloaden* zal een hogere boete krijgen dan iemand die af en toe iets van het internet haalt. Het *downloaden* van games zonder toestemming wordt ook wel piraterij genoemd.

Je mag overigens wel een game *downloaden* wanneer die gratis wordt aangeboden door de makers van het spel. Ook is het mogelijk om demo's te *downloaden*. Een demo betekent dat je het spel kunt uitproberen. Soms is dit voor een uurtje, soms kun je het spelen met beperkte opties. Je kunt dan kijken of het spel iets voor je is.

Wat is het gevaar van *downloaden*?

Veel mensen denken dat het niemand schaadt om games te *downloaden*. Dit is helaas niet het geval. Er zijn veel mensen die meewerken aan de ontwikkeling van een spel. Al deze mensen hebben natuurlijk recht op inkomsten en dat krijgen ze door de verkoop van spellen. Maar niet alleen de makers van spellen horen geld te krijgen: ook de winkels die het verkopen en de bedrijven die de games versturen van de fabriek naar de winkel moeten geld krijgen. En wat denk je van de drukkers die de boekjes maken van de games? Ook zij horen betaald te krijgen.
Behalve dat mensen recht hebben op het geld omdat ze hard hebben gewerkt aan de games, is het geld ook nodig om nieuwe ontwikkelingen te kunnen maken. Zonder voldoende geld kan een bedrijf geen nieuwe games maken of nieuwe apparatuur bedenken waarmee games gespeeld kunnen worden.

12. Commercie van games

Commercie bij games komt steeds vaker voor. Commercie betekent dat er reclame wordt gemaakt en dat mensen proberen om nog meer geld te verdienen. Vroeger werd er amper aan commercie gedaan, maar tegenwoordig is het erg belangrijk om reclame voor games te maken.

Reclames

Er wordt steeds meer reclame gemaakt om de computerspellen te promoten. Dit kunnen bijvoorbeeld spotjes zijn op de televisie of radio. Ook kunnen er advertenties in tijdschriften staan. Om extra aandacht te krijgen voor de games gebruiken ontwikkelaars bekende mensen, zoals acteurs, sporters en zangers. Veel reclames voor games zijn ook steeds vaker gericht op andere doelgroepen, zoals kinderen of vrouwen. Op deze manier hopen de ontwikkelaars van de spelletjes nog meer te verkopen.

Reclames in games

In games zelf wordt ook erg veel reclame gemaakt. Bedrijven betalen geld om vermeld te worden in een game, dit noem je sponsoren. De bedrijven zijn dan sponsors. Denk eens aan de Fifa-spellen. Dit zijn voetbalspellen waarin veel reclame te zien is, bijvoorbeeld in het stadion, langs de rand van het veld en in de kleding van de spelers. Reclame komt niet alleen voor in sportgames, maar kan in alle *genres* voorkomen. Er worden ook steeds meer nieuwe ideeën bedacht om reclame in een computerspel te kunnen maken.

In games vind je ook reclame.

Extra *accessoires*

Als je een *console* koopt, dan heb je vaak één controller. Veel ontwikkelaars van games brengen hun *console* zo op de markt, dat je
telkens meer *accessoires* wilt kopen. Als je een spel wilt spelen
voor meerdere spelers, dan heb je meer controllers nodig. En een
stuur tijdens het racen is natuurlijk ook wel erg leuk. Misschien
heb je extra geheugen nodig, zodat je meer spellen kunt opslaan.
Al deze *accessoires* zijn bewust op de markt gebracht. Immers
willen de ontwikkelaars dat de mensen spellen blijven kopen en
hun *console* blijven uitbreiden.

Extra downloads

Bij veel games heb je de mogelijkheid om extra's te *downloaden*
via het internet. Je hebt downloads die je gratis kunt krijgen, maar
er is ook veel te vinden waar je voor moet betalen. Wanneer je
bijvoorbeeld het spel The Sims speelt, dan kun je op de officiële

Extra auto's downloaden kan bij sommige racespelletjes.

website allerlei meubels kopen die prima in je huis passen. Bij racespellen kun je extra auto's *downloaden* en als je dansspellen speelt, kun je op internet nog meer liedjes vinden om te *downloaden*. Zo breid je je spel uit en kun je er langer van genieten. Dit is natuurlijk een hele makkelijke manier om nog meer geld te verdienen en de makers van de games doen dit dan ook vaak om die reden.

Het komt ook voor dat de makers je proberen te lokken naar de online-winkel. Je kunt bijvoorbeeld gratis punten krijgen waar je iets mee kunt *downloaden*. Veel spullen kun je dan echter niet betalen met deze gratis punten. Hiermee hopen de ontwikkelaars dat je toch geld uitgeeft om zo meer punten te krijgen.

13. Games in de toekomst

Dat games een enorme ontwikkeling hebben doorge-
maakt is algemeen bekend. De groei is de afgelopen
jaren immens geweest, maar wat kunnen we verwach-
ten in de toekomst? Niemand zal precies weten hoe
de games zich verder zullen ontwikkelen. Toch zijn er
enkele zaken waar we best eens bij stil kunnen staan.

Betere verhalen

Het zou heel goed mogelijk kunnen zijn dat de games betere ver-
halen krijgen en dat ze zelfs de films zullen verslaan. Wellicht
worden de welbekende Oscars in de toekomst ook wel weggege-
ven aan games.

Betere kwaliteit

Dat de *graphics* alleen maar beter worden, zal niemand ontkennen.
De games zullen er in de toekomst waarschijnlijk nog *realistischer* uit gaan zien. Dit kan misschien zelfs worden gedaan door
de besturing. Wie weet worden games in de toekomst zo gemaakt
alsof het net lijkt dat je helemaal in een spel zit.

Leren met games

Wat als de games een groter onderdeel worden op scholen? Er zijn
nu al talloze games op de markt waar je iets van kunt leren, dus
de kans is aanwezig dat games uiteindelijk dé manier worden om
nieuwe stof te onthouden.

Hoe zullen de games zich ontwikkelen?

Afwachten

We zullen moeten afwachten om te zien wat er werkelijk gaat ge-beuren met computergames in de toekomst. De ontwikkelaars zijn altijd bezig om met nieuwe technieken te komen. De toekomst is waarschijnlijk dichterbij dan we denken.

Consoles

In het hoofdstuk 'Het ontstaan van games' heb je al
een heleboel kunnen lezen over *consoles*. Maar als je
nieuwsgierig bent geworden naar een volledig overzicht van alle *consoles* die zijn verschenen, kun je in
dit hoofdstuk een lijst vinden met alle spelcomputers
die er zijn geweest. Het jaartal staat er bij.

1972: Magnavox Odyssey

1974: Atari Home pong

1977: Atari 2600

1978: Philips G7000

1979: Intellivision Atari 800 Computer

1980: Nintendo Game&Watch

1982: Vectrex, Atari 5200 en Emerson Arcadia

1983: Commodore 64

1984: Micro Soft eXtended

1985: Nintendo Entertainment System (NES)

1986: Atari 7800

1989: Nintendo Gameboy, Atari Lynx en Sega Megadrive

1990: Sega Game Gear, Super Nintendo (SNES)

1993: Atari Jaguar en 3DO Sega CD

1994: Sega 32x (Sega Saturn)

1995: Sony Playstation, Sega Saturn

1996: Nintendo 64

1998: Nintendo Gameboy Color

1999: Sega Dreamcast en SNK NeoGeo Pocket Color

2000: Sony Playstation2

Microsoft Xbox.

2001: Nintendo Gameboy Advance

2002: Microsoft Xbox en Nintendo GameCube

2004: Gameboy Nintendo DS

2005: Sony PSP en Xbox 360

2006: Playstation 3, Nintendo Wii

2009: PSP Go, Nintendo DSi

2011: Nintendo 3DS

Bekende games

Veel games zijn nog steeds bekend, ook al zijn ze al wat ouder. Wil jij graag weten welke bekende spelletjes er zijn geweest? In dit hoofdstuk staat een uitgebreide lijst met bekende computergames. Ook staat het jaartal erbij, zodat je precies weet wanneer een game is verschenen. Je kunt daarnaast zien voor welke *console* de game was.

Natuurlijk is het onmogelijk om alle spelletjes in deze lijst te zetten, de lijst zou dan veel te lang worden. Gelukkig kun je op internet ook veel complete lijsten vinden.

1972: Pong (Arcadehal)

1980: Space Invaders (Atari 2600, Arcadehal), Defender (Arcadehal), Adventure (Arcadehal, Atari 2600)

1981: Pac-Man (Arcadehal), Frogger (Atari 2600), Donkey Kong (Arcadehal)

1982: Pitifall (Atari 2600)

1983: Centipede (Atari 2600), Pole Position (Atari 2600)

1984: Donkey Kong (Nintendo, NES), King's Quest (PC)

1985: Duck Hunt (Nintendo, NES), Super Mario Bros. (Nintendo, NES)

1986: The Legend of Zelda (Nintendo, NES)

1987: Final Fantasy (Nintendo, NES), Castlevania (Nintendo, NES), Mega Man (Nintendo, NES)

1989: Prince of Persia (PC), Tetris (Nintendo Gameboy), SimCity (PC)

1990: Commander Keen (PC)

1991: Sonic the Hedgehog (Sega), Zelda: A Link to the Past
(Nintendo, SNES)

1992: Wolfenstein 3D (PC), Super Mario Kart
(Nintendo, SNES), Mortal Kombat (Sega)

1993: Doom (PC), Myst (PC), FIFA Soccer '94 (Sega)

1994: Donkey Kong Country (Nintendo, SNES), Worms (PC)

1995: 1995 Command & Conquer (PC),
Tekken (Sony Playstation)

1996: Tomb Raider (Sony Playstation), Quake (PC)

1997: Age of Empires (PC)

1998: Half-Life (PC)

2000: The Sims (PC)

2001: Halo (Xbox), Grand Theft Auto III (Playstation 2)

2002: WarCraft III (PC)

2003: Call of Duty (PC)

2004: 2004 Wario Ware Inc (Nintendo Gamecube)

2005: World of Warcraft (PC), Guitar Hero (Playstation 2)

2006: Wii Sports (Nintendo Wii), FIFA Soccer '07 (Xbox 360)

2007: Halo 3 (Xbox 360), Super Mario Galaxy (Wii)

2008: Wii Rockstar (Nintendo Wii),

2009: Starcraft 2 (PC)

2010: God of War 3 (Playstation 3), Mass effect 2 (Xbox 360)

2011: Little big planet 2 (Playstation 3), Diablo 3 (PC)

Woordenlijst

Accessoires	Spullen die je bij een game krijgt, zoals een stuurwiel, een extra controller of een hoesje waar je de controller in kunt stoppen ter bescherming.
Account	Een abonnement. Dit kan gratis of betaald zijn.
Amusementshallen	Ruimtes met spellen die je kunt spelen voor een klein geldbedrag.
Arcademachine	Een machine waar een enkele game op gespeeld kan worden. Meestal moet er wat geld in de machine worden gegooid om het spel te kunnen spelen.
Bugs	Fouten in een computerspel.
Componisten	Mensen die muziek schrijven, bijvoorbeeld voor games, theaterstukken of films.
Console	Een apparaat waarmee games gespeeld kunnen worden. Een ander woord voor *console* is spelcomputer.
Content	Inhoud.
Controller	Hiermee kun je de games besturen. Vaak zitten er meerdere knopjes op die je kunt gebruiken.
Cursief	Schuin geschreven.
Downloaden	Iets van het internet halen en op je computer of *console* zetten.
Draaiboek	Een boek waarin het verhaal van een game (of film) al uitgeschreven staat. Soms wordt dit gedaan met tekeningen.
Dungeon	Een *dungeon* is vaak een soort *level* binnen een spel. Vaak kan een *dungeon* ook worden gezien als een soort puzzel*level* (zie ook *level*).
Fitness	Sporten.

Game designers	Ontwikkelaars van games.
Gameplay	De *gameplay* bepaalt hoe gemakkelijk een spel te besturen is en hoe leuk het is om te spelen.
Genres	Een *genre* is het soort spel. Je hebt bijvoorbeeld shooters en puzzelspellen.
Handheld	Een spelcomputer die je met je mee kunt nemen. *Handheld* is een Engels woord en betekent ongeveer 'iets wat je in je hand kunt houden'. Een *handheld* is bijvoorbeeld de Gameboy.
Grafisch	De afbeeldingen in een game, zoals de omgeving, de personages en voorwerpen.
Graphics	De *graphics* in een spel zijn eigenlijk alle afbeeldingen. Denk aan het uiterlijk van de omgeving, het uiterlijk van de personages en voorwerpen die in het spel voorkomen.
Levels	Veel spellen bestaan uit verschillende levels (spelniveaus). Een level kan worden gezien als een soort wereld en wanneer de opdracht is voltooid, ga je door naar een volgend level.
Manager	De baas van een bedrijf.
Mascotte	Een figuur dat speciaal ontworpen is om bijvoorbeeld een bedrijf te promoten. Veel sportclubs hebben ook een *mascotte*.
Open dagen	Dagen waarop mensen hun bedrijf openstellen voor bezoekers. Zij kunnen dan zien hoe het bedrijf werkt en wat ze er doen.
Persoonlijke verzorging	Hierbij kun je denken aan je haren wassen, je tanden poetsen en jezelf elke dag schoonmaken.

Quests	Opdrachten in een spel.
Realistisch	Het lijkt net echt.
Sociale contacten	*Sociale contacten* zijn mensen die je in je omgeving hebt en waar je mee praat. Als je met niemand praat, heb je geen sociaal contact meer.
Software	Programma's voor op de computer.
Stereotype	Een *stereotype* is een overdreven beeld van een bepaalde groep. Denk bijvoorbeeld aan de mooie vrouw met grote borsten. Vaak is een *stereotype* een vooroordeel.
Strategie	Van tevoren bedenken hoe je iets gaat aanpakken om het probleem op te lossen.
Subgenre	Een *genre* binnen een *genre* (binnen het *genre* actie/action heb je bijvoorbeeld de first person shooters).
Touchscreen	Een scherm dat reageert op jouw aanrakingen.
Virtuele wereld	Een wereld die alleen in het spel bestaat.

Bronnen

Websites:

http://www.classicgaming.nl/
www.metaplaces.nl
www.anti-piracy.nl
www.weetwatzegamen.nl

Boeken:

Gijs van der Hammen – Computerspelletjes
(ISBN: 90-05-00950-0)
Nicky Kievits – Virtuele werelden
(ISBN: 978-90-22-95805-6)
Boom Onderwijs – De game-industrie
(ISBN: 978-90-473-0021-2)
The book of games
(Engelstalig, ISBN: 978-82-997378-0-7)
J.S. Lemmens – Gameverslaving
(ISBN: 978-90-66-65805-9)

Reeds verschenen
in de WWW-reeks:

Deel 30 Formule 1
Ton Vingerhoets
ISBN 978-90-8660-024-3

Deel 31 Vuurwerk
Ton Vingerhoets
ISBN 978-90-8660-025-0

Deel 32 Graffiti
Nora Iburg
ISBN 978-90-8660-026-7

Deel 33 Vietnam-oorlog
Ton Vingerhoets
ISBN 978-90-8660-044-1

Deel 34 Kleurenblindheid
Carla Gielens
ISBN 978-90-8660-045-8
NOG NIET VERSCHENEN!

Deel 35 Artsen Zonder
Grenzen
Pauline Wesselink
ISBN 978-90-8660-046-5

Deel 36 Loverboys
Yono Severs
ISBN 978-90-8660-047-2
ISBN 978-90-8660-047-2

Deel 37 Doping
Ep Meijer
ISBN 978-90-8660-048-9

DEEL 38 NOG NIET VERSCHENEN

Deel 39 Tienermoeders
Yono Severs
ISBN 978-90-8660-055-7

Deel 40 Gothic
Suzanne Peters
ISBN 978-90-8660-056-4

Deel 41 Jack the Ripper
Ton Vingerhoets
ISBN 978-90-8660-057-1

DEEL 42 NOG NIET VERSCHENEN

Deel 43 Drugsverslaving
M. Gay-Balmaz en
M. Kooiman
ISBN 978-90-8660-075-5

Deel 44 Kinderarbeid
M. Kooiman en
M. Gay-Balmaz
ISBN 978-90-8660-076-2

Deel 45 Greenpeace
Rudy Schreijnders
ISBN 978-90-8660-087-8

Deel 46 Attractieparken/
pretparken
Christine Bruggink
ISBN 978-90-8660-088-5

Deel 47 Games
Suzanne Peters
ISBN 978-90-8660-140-0

Deel 48 Hulphonden
Myrte Gay-Balmaz/Margreeth
Kooiman
ISBN 978-90-8660-120-2

WWW-TERRA

Deel 1 Indonesië
Saskia Rossi
ISBN 978-90-8660-009-0

Deel 2 Tibet
Esther Nederlof
ISBN 978-90-8660-010-6

Deel 3 Oostenrijk
Yono Severs
ISBN 978-90-8660-011-3

Deel 4 Friesland
Yono Severs
ISBN 978-90-8660-012-0

Deel 5 Canada
Pauline Wesselink
ISBN 978-90-8660-013-7

Deel 6 Suriname
Pauline Wesselink
ISBN 978-90-8660-027-4

Deel 7 Thailand
Yono Severs
ISBN 978-90-8660-028-1

Deel 8 Turkije
Yono Severs
ISBN 978-90-8660-029-8

Deel 9 De Wadden
Yono Severs
ISBN 978-90-8660-030-4

Deel 10 Duitsland
Carla Gielens
ISBN 978-90-8660-043-4
NOG NIET VERSCHENEN!

Deel 11 Italië
Saskia Rossi
ISBN 978-90-8660-058-8

Deel 12 Israël
Wilfred Hermans
ISBN 978-90-8660-059-5

Deel 13 Zuid-Afrika
Pauline Wesselink
ISBN 978-90-8660-122-6

Deel 14 Portugal
Carla Gielens
ISBN 978-90-8660-109-7

WWW-MUZIEK

Deel 1
Breakdance/Streetdance
Carla Gielens
ISBN 978-90-76968-84-1

Deel 2 The Beatles
Azing Moltmaker
ISBN 978-90-8660-156-1

WWW-SPORT, SPEL & DANS

Deel 1 Skateboarden
Dolores Brouwer
ISBN 978-90-8660-039-7

Deel 2 De geschiedenis van
de Olympische Spelen
Saskia Rossi
ISBN 978-90-8660-061-8

Deel 3 De geschiedenis
van het voetbal
Josée Wouters
ISBN 978-90-8660-123-3

Deel 4 Linedance
Suzanne Peters
ISBN 978-90-8660-078-6

WWW-BEROEPEN

Deel 1A Werken in de sport:
Topsport
Esther Nederlof
ISBN 90-76968-69-1

Deel 1B Werken in de sport:
Recreatiesport
Petra Verkaik
ISBN 978-90-8660-018-2

Deel 2 De kraamverzorging
Carla Gielens
ISBN 90-76968-49-7

Deel 3 De kapster/kapper
Yono Severs
ISBN 90-76968-91-8

DEEL 4 EN 5 NOG NIET
VERSCHENEN

Deel 6: Werken in de
dierentuin
Suzanne Peters
ISBN 978-90-8660-040-3

DEEL 7 NOG NIET VERSCHENEN

Deel 8 Werken in de horeca
Suzanne Peters
ISBN 978-90-8660-042-7

Deel 9: Werken als piloot
Jan van Evert
ISBN 978-90-8660-060-1

Deel 10: Werken in het
Dolfinarium
Suzanne Peters
ISBN 978-90-8660-077-9

DEEL 11 NOG NIET VERSCHENEN

Deel 12A:
Werken in de manege
(Werken met paarden)
Edith Louw
ISBN 978-90-8660-107-3